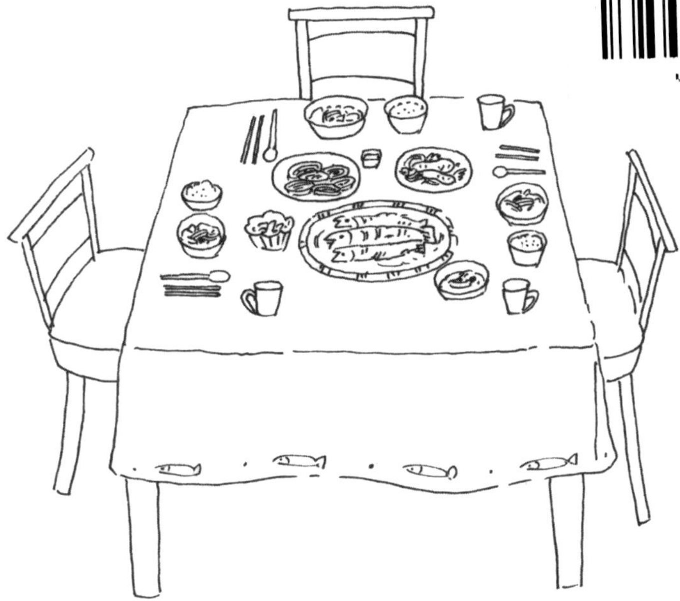

우리집 식탁이에요.

여기 밥이 있어요.

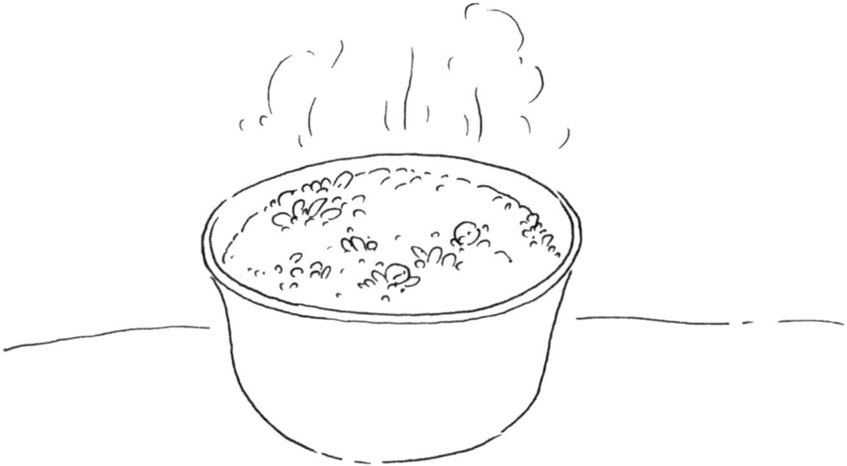

여기 국이 있어요.

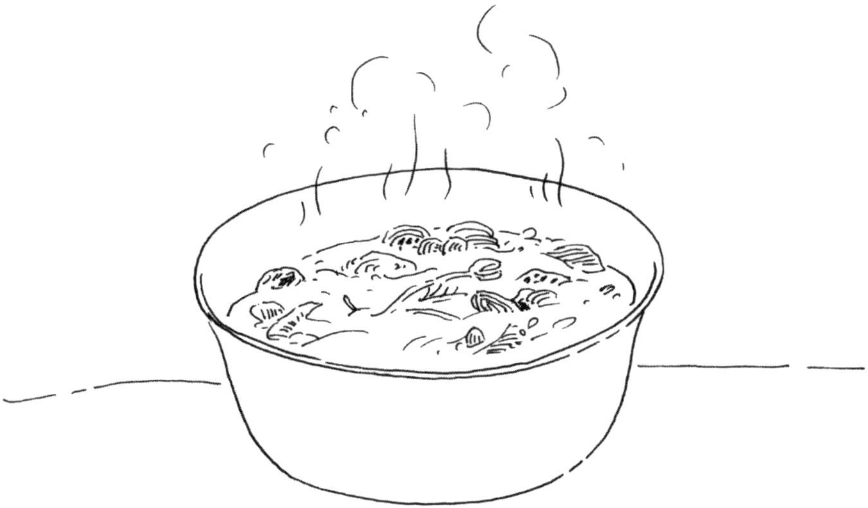

그리고 여기 생선도 있네요.

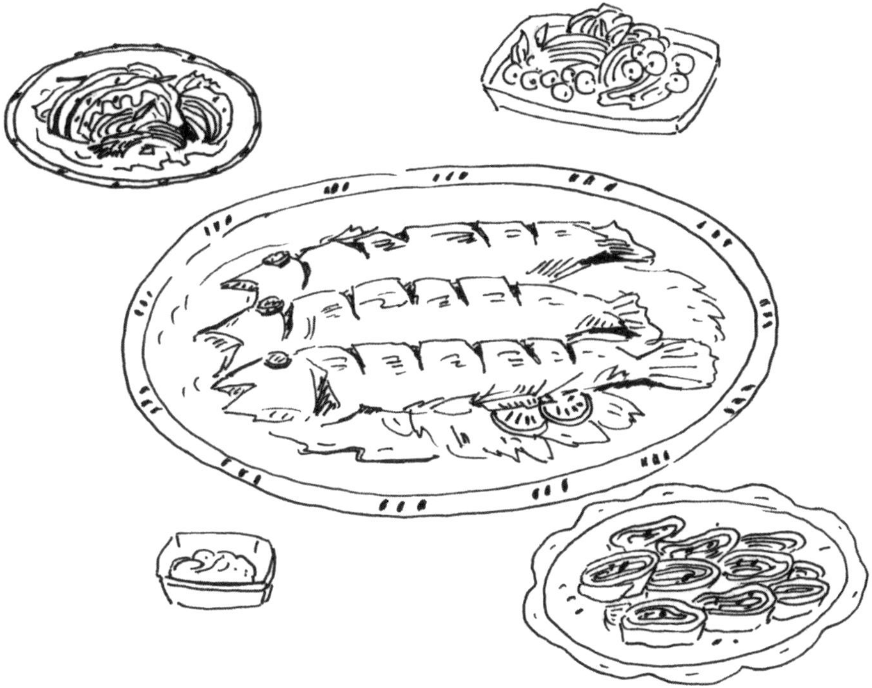

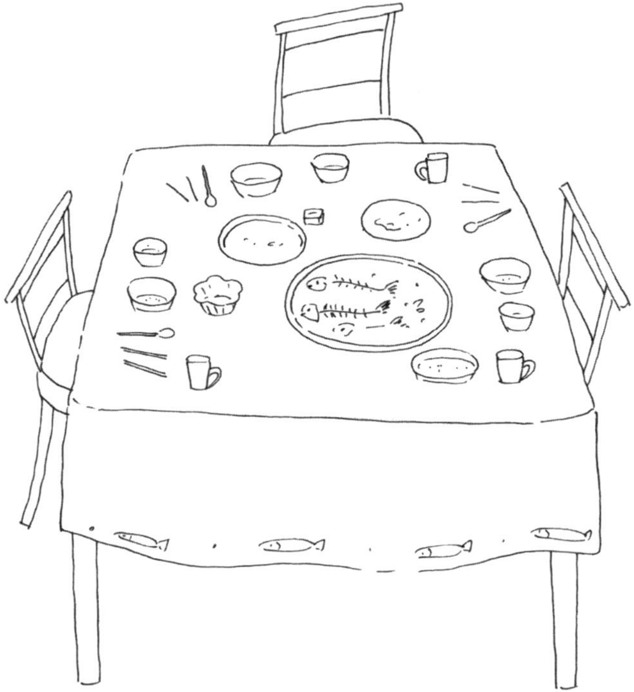

누가 다 먹었을까요?